La grenouille amoureuse

DIDIER DUFRESNE

Illustrations de BOIRY

Chapitre 1

Le prince Liang vivait dans un petit royaume, au nord de la Chine.
Il était toujours gai et fredonnait du matin au soir.
On disait de lui qu'il chantait mieux qu'un rossignol.

Un matin, un messager vint
lui annoncer une grande nouvelle :
 – Le roi Han veut marier
sa fille. Tous les princes
sont invités à se présenter
devant la princesse Zhou !

Sans plus attendre, Liang rassembla
ses affaires et partit en chantant
vers le palais du roi Han…

En chemin, Liang vit un lac.
Comme il avait faim, il se mit à pêcher.
Soudain, un terrible dragon
surgit devant lui.

– Tu oses pêcher dans mon lac, malheureux ! Tu vas le regretter !

Et d'un souffle,
le dragon changea
Liang en grenouille.

En voyant son reflet dans le lac,
Liang fut horrifié :
– Que faire ? Si la princesse me voit
comme ça, elle ne voudra jamais
de moi !
Il réfléchit un instant :
– Je vais aller voir le Grand Panda.
Lui seul saura m'aider.

En quelques bonds, Liang se rendit
chez le Grand Panda.
L'animal l'écouta et dit :
– Hélas ! Je ne peux
te rendre ta forme
humaine…
Mais je te donne
le pouvoir de faire
trembler
la terre !

Liang le regarda, étonné :
– En quoi cela peut-il
m'aider ?

– Pour le savoir,
suis ton chemin :
va voir la princesse
et demande sa main.

Un peu inquiet, Liang reprit sa route.
Et pour se donner du courage,
il se mit à chanter.

Chapitre 2

Au palais du roi Han, les princes ne cessaient de défiler devant la princesse.

Mais Zhou était capricieuse.

Elle leur trouvait toujours un défaut :

– Pas assez fort ! Trop maigre !

Pas assez grand ! Trop gros !

Liang sauta aux pieds du roi et le salua :
— Majesté, je suis le prince Liang.

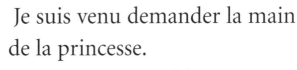

Je suis venu demander la main
de la princesse.

Zhou fit une horrible grimace.

Le roi éclata de rire :
— Ma fille ! Mariée à une
grenouille !

HA ! HA HA !

Liang pensa alors aux paroles
du Grand Panda et s'écria :
– Si tu ne me donnes pas
ta fille, je vais me mettre
à sauter !
Le roi ricana :
– Saute tant que tu veux,
stupide animal !

La grenouille
commença
à sauter,
à sauter
de plus
en plus
haut.
Le sol se mit à trembler, des pierres
tombèrent, les murs se fendirent…

Le roi hurla, terrifié :
– Par pitié, ne saute plus !
C'est promis, je te donne
ma fille…

La grenouille s'arrêta et le calme
revint aussitôt.

Le roi fit installer la grenouille
dans la tour.

Zhou était furieuse :
– Père ! Vous n'allez pas me
marier à cet affreux animal ?
Mais le roi gronda :
– Suffit ! Un roi
doit toujours tenir
ses promesses.

Chapitre 3

La princesse monta dans
sa chambre et claqua la porte :
– Maudite grenouille !
Que les démons te réduisent
en poussière !
Folle de rage, elle cassa tout
ce qui lui tomba sous la main :
– Je vais me débarrasser
de cet animal et le couper
en morceaux…

Le soir venu, Zhou se glissa dans
l'escalier de la tour, un sabre à la main.
En montant, elle entendit un chant :
« *Dans le cœur d'une princesse,*
on peut trouver la tendresse… »
La princesse posa le sabre. Jamais elle
n'avait entendu de voix si belle !

Zhou s'arrêta devant une porte,
en haut de la tour.
La chanson continuait, plus douce
que le chant du rossignol :
« *Je suis le prince ensorcelé.*
Qui pourra me délivrer ?… »
La princesse ne put s'empêcher
d'entrer…

Lorsque Zhou apparut, Liang resta
sans voix. La princesse sourit…
– Chantez encore, je vous en prie.

Liang reprit sa chanson.
Alors la princesse attrapa les petites
pattes de la grenouille et l'entraîna
dans une danse tourbillonnante…

Au premier tour,
Liang retrouva
ses mains…

Au deuxième,
il sautillait sur
ses deux pieds…

Au troisième,
il était redevenu
le prince d'autrefois…

Liang serra Zhou dans
ses bras et murmura :
– Princesse, vous avez brisé
le sort qu'on m'avait jeté.
Me voilà prêt à vous épouser.
Zhou le regarda,
émerveillée.
À présent, c'était elle
qui semblait ensorcelée !

Le lendemain, on célébra les noces
de Zhou et de Liang dans les jardins
du palais. Quand le repas fut
terminé, les amoureux se mirent
à chanter. Et pour la première fois,
on s'aperçut que la princesse
avait une très jolie voix !

FIN